LA HIJA DE LAS ISLAS
Cantos a Lola Rodríguez de Tió

ROSARIO MÉNDEZ PANEDAS
EDITORA

LA HIJA DE LAS ISLAS
Cantos a Lola Rodríguez de Tió

ISBN: 978-1-950792-59-7

Acuarela de portada: Tomás Méndez Panedas, 2023
Acuarela de la autora: Tomás Méndez Panedas
Diagramación: Linnette Cubano García

EDP University of Puerto Rico, Inc.
Ave. Ponce de León 560
Hato Rey, P.R.
PO Box 192303
San Juan, P.R. 00919-2303

www.edpuniversity.edu

 Editorial EDP

Revista *El Fígaro*, año V, núm. 41
La Habana, Cuba

¡La poesía es la respiración de las almas sensibles y generosas!

Tiene el mágico poder de conmover las delicadas fibras del sentimiento y electrizar el alma hasta llevarla al heroísmo y la abnegación. […]

La poesía vela constantemente para que no se apague el divino fuego que hace arder en el corazón de la humanidad el sagrado perfume de las santas virtudes.

Lola R. de Tió

El Eco de las Lomas
26 de diciembre de 1878

Contenido

Así como los ríos corren y las aguas nunca se repiten
dedicamos este libro a nuestra amada
Raquel Leonor Brailowsky Cabrera,
otra sangermeña de corazón, y que, como Lola,
amó la patria grande antillana.

Cantos a Lola Rodríguez de Tió,
un homenaje poético a la hija de las islas
Rosario Méndez Panedas

Rara Avis
(A Lola)

Una hermosa mujer de esta zona
con alma en los ojos,
en las hebras del astro nocturno
bañaba su rostro;
y meciendo su voz en el aura,
cual beso sonoro,
en la nota ideal del recuerdo,
forjaba un sollozo.

Y cantaba unas cosas tan dulces
su labio amoroso,
del mortal corazón revelando
misterios tan hondos,
que las aves viajeras ocultas,

¿No eras tú que las cuerdas herías
del arpa de oro?

José de Jesús Domínguez
Poetas Puerto-riqueños (1879)[1]

Son muchos los aspectos que admiro de Lola Rodríguez de Tió (San Germán 1843- La Habana 1924):
su deseo de ver una patria liberada, su sueño de lo-
grar un Puerto Rico que fuera más justo, igualitario y

---

[1] José María Monge, Manuel M. Sama y Antonio Ruiz Quiñones, eds. *Poetas Puerto-riqueños*. Mayagüez: Martín Fernández, 1879.

que defendiera y protegiese a los más necesitados. Su compromiso con la educación desde su trabajo como inspectora de escuelas en Cuba y la importancia que le dio a la educación de la mujer. Admiro también, su profundo valor a la amistad que le hizo rodearse de personas que la quisieron, admiraron y respetaron en todos los lugares en los que vivió: Puerto Rico, Venezuela, Cuba y Nueva York. Sus epistolarios son un testimonio de ello.

Pero hoy ciento ochenta años después de su nacimiento y acercándonos a la conmemoración del centenario de su fallecimiento, queremos celebrar a la Lola poeta, las palabras le acompañaron a lo largo de su vida y la ayudaron a expresar su amor por la humanidad, la patria, la familia y sus amigos. Para Lola la poesía tenía la capacidad de crear las bondades del espíritu humano y así decía en un artículo en el periódico *El Eco de las Lomas* en el 1878: "La poesía vela constantemente para que no se apague el divino fuego que hace arder en el corazón de la humanidad el sagrado perfume de las santas virtudes" o "La poesía levanta a la mujer porque en ella, serena fuente de apacible e inagotable ternura es donde bebe sus más dulces inspiraciones."

Lola Rodríguez de Tió es una de las pocas escritoras reconocidas del siglo XIX en Puerto Rico. En el mundo hispánico decimonónico son muy escasas las mujeres que tienen presencia en el campo de la literatura. Sin embargo, nuestra poeta sangermeña logró hacerse un espacio y ser reconocida como escritora sobresaliente en su época.

La poesía acompañó siempre a Lola y le permitió verbalizar su capacidad de adaptarse a diferentes espacios, en sus destierros en Caracas, Nueva York y Cuba se rodeó de personas afines, hizo amistades que la acompañaron toda su vida. Su capacidad de adaptación y su sólida personalidad le permitieron continuar con sus ideales sin importar donde estuviera. El poeta y crítico literario Francisco Manrique Cabrera[2] en el 1956 describía así a la poeta: "Desde muy temprano la asedia el hambre de saber, y le muerde el dolor de su patria. Con energía sin par se decide a cumplir un destino errante empujada por las persecuciones políticas que obstruían el cumplimiento de su deber patriótico. Sin embargo, la acompañaba siempre un arma predilecta: la palabra lírica." (213)

Lola sufrió la lejanía de su tierra natal, pero eso no le impidió disfrutar su vida en otros espacios. Y así decía:

Yo no me siento nunca extranjera:
en todas partes hogar y abrigo
amplio me ofrece la azul esfera;
siempre mis sienes un seno amigo
hallan en una u otra ribera,
porque la Patria llevo conmigo.

Amor, patria y libertad fueron las consignas que guiaron a Lola toda su vida y la convirtieron en la poeta eterna a la que homenajeamos hoy. Sus versos per-

[2] Francisco Manrique Cabrera. *Historia de la Literatura Puertorriqueña*. New York: Las Américas, 1956.

duran, su legado permanece para siempre a través de sus palabras porque contra el olvido está la palabra. Lola forma parte de la memoria colectiva del pueblo sangermeño en particular y del puertorriqueño en general, tal y como podemos observar en la diversa procedencia de los poetas que forman parte de esta antología: treinta y siete poetas de quince municipios diferentes de Puerto Rico y cuatro procedentes de la diáspora cantan a Lola.

La literatura ha convertido a "la hija de las islas" en inmortal, cada vez que un lector se acerca a sus escritos, renace a la vida. A través de los versos de Lola, conversamos con ella y la escuchamos con nuestros ojos. Así como nos recuerda los versos del poeta español Francisco de Quevedo quien en el siglo XVII escribió:

Retirado en la paz de estos desiertos,
con pocos, pero doctos libros juntos,
vivo en conversación con los difuntos
y escucho con mis ojos a los muertos.

En el 2023, a través de esta antología poética, en la celebración de su cumpleaños ciento ochenta queremos rendirle un tributo y así contamos con la presencia de treinta y siete poetas boricuas que generosamente le han dedicado un poema y han desarrollado un diálogo intertextual con Lola. En sus poemas, algunos escritores se refieren a versos de la poeta sangermeña, otros celebran y recuerdan algunos episodios de su vida; cada uno de ellos conversa con la escritora casi un siglo después de su fallecimiento, sus voces poéticas se convierten en un conjuro para que Lola no caiga en las redes del olvido y su presencia sea eterna. Los cantos a Lola que comprenden la antología la acercan a nosotros, y celebran a la poeta con su mejor arma también: la palabra lírica. Los poemas se entrelazan, en diálogo unos con otros, y confabulan para que la poeta sangermeña esté presente.

Los poetas se unen a otros compatriotas, contemporáneos de Lola, que la admiraron y le dedicaron algunos de sus versos. A finales del siglo XIX, el poeta modernista José de Jesús Domínguez (1843-1898) le dedicó un hermoso y extenso poema titulado *Rara Avis*. El poema está compuesto de 16 estrofas de ocho versos, incluí las dos últimas al comienzo de estas páginas. El texto poético de corte modernista es uno de los tres poemas de José de Jesús incluido en la antología *Poetas Puerto-riqueños* publicada en Mayagüez en 1879. En ese momento, Lola tenía 36 años, solo había publicado el primero de sus libros *Mis Cantares* (1876) y ya era merecedora de la admiración de sus contemporáneos, como es el caso del poeta quien le dedica este extenso poema. Predomina en la composición poética la imagen del ave desde el título, en un claro homenaje a la poesía de Lola que está repleta de golondrinas, palomas u otras aves: "Una hermosa mujer de esta zona/ con alma en los ojos" y más adelante en el poema "Y cantaba unas cosas tan dulces/su labio amoroso/... que las aves viajeras ocultas, /temblaban de gozo."

Los escritores Manuel Zeno Gandía[3] (1855-1930) y Luis Llorens Torres[4] (1876-1944) dedicaron a la poeta composiciones con motivo de su fallecimiento. El primero tituló su poema "A la memoria de Lola" y se refirió a ella como "arpa ya muda". Llorens Torres en el 1924 escribió "Epitafio para Lola Rodríguez de Tió"

Lucerito del Señor,
Lucerito triste, Tú
que con tu llanto de luz
ves el mármol de su fosa,
llora tú más luminosa
lágrima sobre cruz.

El poeta Virgilio Dávila[5] se une también al homenaje poético a Lola y le dedicó una semblanza en la que dice: "Es Lola, la de vuelo arrebatado/ es la gentil Dolores, que ha vertido/su pensar, al diamante parecido, /de Fray Luis en el molde cincelado" y finaliza el soneto: / ¡Y allá, en el suelo de la Antilla hermana,/ es el orgullo de Borinquen, Lola./ José de Diego[6] le dedicó un madrigal titulado "Sol Dissolvit Nubila" en el que incluye el epígrafe: " A mi querida maestra Lola/ contestando su Soneto "Nubila".

[3] Manuel Zeno Gandía. *Poesías*. San Juan: Editorial Coquí, 1969. p.210-211.

[4] Carmen Leila Cuevas. *Lola de América*. Hato Rey: Ramallo Bros, 1969. p.98-99.

[5] Virgilio Dávila. *Obras Completas*. San Juan: Instituto de Cultura Puertorriqueña, 1970. p.570.

[6] Carmen Leila Cuevas. *Lola de América*. Hato Rey: Ramallo Bross, 1969. p.97.

Además de los poetas puertorriqueños, otros escritores hispanoamericanos le han dedicado sus versos a la cantora de las lomas: por ejemplo el nicaragüense Rubén Darío, quien la bautizó con el nombre de "hija de las islas", el peruano José Santos Chocano, el cubano Enrique José Varona o el mexicano Luis G. Urbina quien en el 1915 exclamaba en un poema dedicado a Lola: "¡Feliz tú, que has podido embellecer/ este mundo grosero y egoísta/con tu adorable corazón de artista,/ y tus piadosas manos de mujer!" Los versos dedicados a Lola por sus contemporáneos son el testimonio del respeto y la admiración que causaba esta mujer de personalidad arrolladora en sus semejantes.

"La poesía es el sentimiento que le sobra al corazón y te sale por la mano" afirma la poeta española Carmen Conde. Por la mano de todos los poetas participantes se escurren las palabras que celebran a la antecesora, la compatriota, a la escritora que amó tanto a su patria, pero quien tuvo que vivir y morir lejos de ella. Son versos que viajan desde Lares, Arecibo, Aguada, Bayamón, San Juan, Manatí, Orocovis, Ohio, Mayagüez, Hormigueros, Villa Nevárez, San Germán, Salinas, Houston, Wisconsin, Aguadilla, San Sebastián, Camuy, Melbourne y se unen para rendir un homenaje apalabrado a la Cantora de las Lomas. Cada uno de los poemas posee valor en sí mismo, pero en conjunto son el testimonio del amor, el respeto y la admiración que una mujer como Lola provoca hoy día en los poetas del siglo XXI y reafirman su vigencia. Las letras hermanan a los poetas y a través de sus textos percibimos la vehemencia y la pasión que transmite Lola.

Los poemas se convierten también en una ventana que nos lleva a la segunda mitad del siglo XIX y principios del XX, por la que nos asomamos a las preocupaciones político y sociales de una intelectual como era Lola: el compromiso con una patria liberada, el sueño de la unión antillana, la lucha por la igualdad de la mujer y su derecho de educarse, el abolicionismo, el poder transformador de la palabra. Los treinta y siete cantos son una oda a la poesía, a la de ayer y a la de hoy, una alabanza que nos regalan los artesanos de la palabra, demiurgos mágicos.

En cada uno de los poemas que comprenden la antología pasado y presente se entretejen y nos muestran que la poesía alcanza una inmortalidad atemporal. El poeta que canta y la poeta que recibe los versos se transforman el uno al otro y entran en ese instante mágico que es la creación artística.

Celebro la publicación de esta antología con una emoción que me embarga desde la dedicatoria a Raquel Brailowsky amiga querida, mujer apalabrada, rebelde y eterna como Lola, siempre en mí. Una paraguaya de nacimiento y boricua de corazón, quien me enseñó a amar a la cantora de las lomas, la poeta que nació en la ciudad que me acogió con tanto cariño hace ya treinta años. La portada del libro es igualmente un regalo de amor de mi hermano, el acuarelista Tomás Méndez Panedas, quien desde Madrid y a través del pincel da vida a la poeta y la enmarca dentro de las alas de sus dos amores patrios: Cuba y Puerto Rico, metáfora pictórica de las palabras con las que la definió el poeta Rubén Darío: "hija de las islas."

Por las páginas del texto, hay versos de poetas que son también amigas entrañables y que forman parte importante de los hilos de mis afectos. Celebro además los poemas que pertenecen a mis alumnas queridas, algunas son de las primeras con las que me estrené como docente hace treinta años y están también los versos de una alumna actual que recién empieza a disfrutar de los amores a las palabras y quien es el testimonio de que Lola vive también en el corazón y las letras de nuestros jóvenes. Me emociona además la respuesta apasionada y repleta de amor de aquellos poetas que sin conocerme han querido formar parte del proyecto y celebrar así a Lola. Agradezco al doctor Edgardo Machuca, director de la Editorial EDP University por acoger con tanto entusiasmo este proyecto.

Los poemas están organizados en el texto por orden alfabético del nombre del poeta y constituyen un universo poético propio. Treinta y siete cantos a Lola conviven dentro del marco textual que dibujan *Lola* y *Riqueña*, el primero y el último de los poemas de la antología, y entre todos ellos inventan un nuevo lenguaje creador de múltiples significados. En conversación con Lola y en diálogo entre ellos, los cantos conspiran para traer al presente a la hija de las islas, para dejar testimonio con sus letras de que Lola Rodríguez de Tió vive hoy en las voces de los aedos borincanos.

Incluimos en el libro también algunas fotos de Lola como la imagen en la que se inspiró el artista para la portada del libro y las portadas de dos revistas, una puertorriqueña y una cubana dedicadas a la poeta: *La Ilustración Puertorriqueña* del 25 de octubre de 1892 y la cubana *El Fígaro* del 10 de noviembre de 1889. De nuevo, Cuba y Puerto Rico de *un pájaro las dos alas*. Espero que como yo disfruten de cada una de las páginas de la antología y rindan, a través de su lectura, un merecido homenaje a Lola Rodríguez de Tió, la cantora de las lomas, la hija de las islas, la poeta eterna.

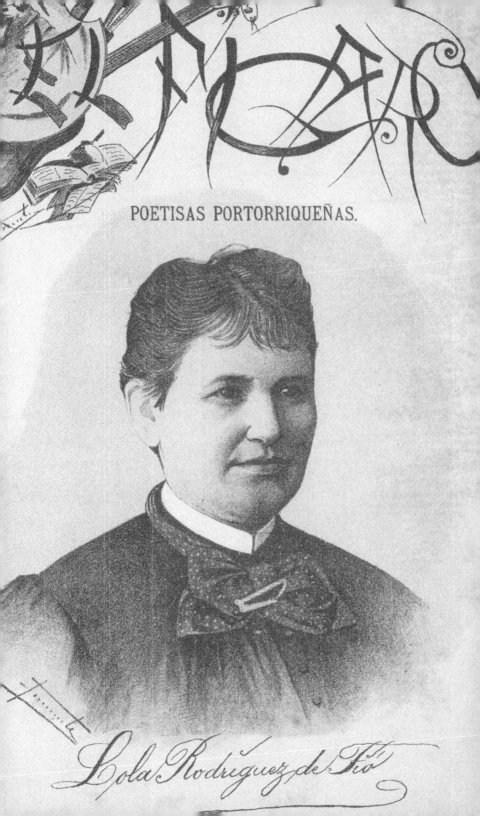

POETISAS PORTORRIQUEÑAS.

Lola Rodriguez de Tío

Revista *El Fígaro*, Año V, Núm. 41
10 de noviembre de 1889
La Habana, Cuba
Cortesía de Ernesto Miguel Cañellas Hernández
Página de Facebook: *Fotos de la Habana*

A mis cantares

¡Dulces cantares del pueblo!
¡Cantarcitos de mi patria!
En vosotros vierto yo,
mis alegrías, mis lágrimas.

Que gran influencia ejercen
los cantares en mi alma.
¡Ya me anuncien desengaños,
ya me anuncien esperanzas!

Los cantarcitos me alivian
y mis sufrimientos calman,
porque nunca me abandonan,
porque siempre me acompañan.

Esté triste o esté alegre
mis sentimientos retratan,
que ellos son los compañeros
de mi dicha o mi desgracia.

¡Cantarcitos de mi pueblo!
¡Cantarcitos de mi alma!
Vosotros sois los heraldos
de las épocas pasadas.

En vosotros se conserva
esa tradición sagrada,
que no se pierde el recuerdo
cuando en vosotros se guarda.

Por eso es que tanto quiero
los cantares de mi patria,
¡Ya me anuncien desengaños!
¡Ya me anuncien esperanzas!

Lola Rodríguez de Tió
Mis Cantares

Cantos a
Lola Rodríguez de Tió

Lola
Aidalís Rivera Quiñones

Lola

a la orilla de esta playa
acerco mis pies
pensando que quizás fueron estas mismas aguas
las que se te enraizaron en la piel
y te anclaron en medio del pecho
forrado de cundeamores
este pedazo de tierra
mientras otro horizonte
se te abría en la mirada

Ay Lola

hoy
hay más balas que flores
palpitándome el corazón
espantando de mis nidos
el himno de aquellos pájaros
que en tus versos
evocaban el paraíso

Lola

la isla se nos marchita
y aunque esté a punto de bajarse el telón
se retuerce aún en nuestras entrañas
el deseo de abrazar la libertad
al filo de un machete

grito libre de mujer
Ana María Fuster Lavín

Ya no queremos déspotas,
caiga el tirano ya,
las mujeres indómitas
también sabrán luchar.

Lola Rodríguez [Ponce]
(de *La Borinqueña*)

¿cómo explicar a las aves
que tu poema es una mujer libre?

ese que habita
en tus pisadas desterradas
sobre esta tierra insurrecta
de mujeres que invocaron
al grito de una isla de humo
y a los machetes de la palabra viva
que repite tus nombres indómitos:
Lola, Lolita, Julia…

y te pienso infinita
sin fronteras ni cadenas
cicatrizando amaneceres
apellidos de propiedad

y grilletes patriarcales,
que cada mujer sometida
es una patria ultrajada
difuminada en ecos torturados
hasta enmudecer

¿cómo explicarle al silencio
que vencer o morir es nuestro himno?

Lola, Lolita, Julia…
tus poemas son abono
para florecer sin miedos ni dudas
para reconstruir nuestras manos
hacia una tregua para renacernos
archipiélago, mar, cordillera, raíz
para brotar hijas combatientes
que también sabrán soñar
volar crear

¿serán las pisadas de sus palabras
escaleras de sanidad para respirar libres?

y que nuestro futuro sea un pueblo
sin título de propiedad ajena,
que por derecho propio nos pertenece
como pétalos de salitre y alas
o como ese viaje de gaviotas
que nos quiere vivas
y desnudas
de equipaje maloliente
de abismos de la memoria

de buitres y tiranos insanos
con sus expiradas dosis color olvido
deshojando la orilla insular
de nuestra cordura
pero aun podemos sanar
besar esas cicatrices
de los desalojos del corazón
también de la razón
que repite tus nombres indómitos
Lola, Lolita, Julia…
hasta demoler las fronteras del tiempo

¿y si somos ese grito libre de mujer
que al saltar al otro lado de la poesía
recupera el cuerpo de la patria?
"que nos espera ansiosa la libertad,
la libertad…"

Ceiba

Ángela María Valentín Rodríguez

A Lola Rodríguez de Tió,
a Mariana Bracetti,
a mi madre y a mis abuelas

Hay mujeres eternas
con nombres comunes:
Lola Rodríguez,
Mariana Bracetti,
Berta, Yuya,
América...
Mujeres que me han enseñado
la definición de fortaleza
apuntando a un lugar lejano,
secreteándome al oído que,
mientras tanto llega
la libertá tan ansiada,
es necesario
seguir siendo ceiba
siempre erguida
siempre de pie.

Décimas a Lola Rodríguez de Tió

Antonio Ramírez Córdova

Poetisa de su camino,
de valentía tallada,
siempre presta a la llamada
de su iluminado sino.
Y en su paso peregrino,
por amar la patria esclava,
que en su penumbra se agrava,
con maléfica presencia,
sigue siendo orlada esencia,
de un rumor de sangre brava.

La blanca estrella de Lares
se afiló en su inspiración
y cayó en su corazón
con patrióticos cantares.
Resplandeció en sus pesares
por la patria malherida,
que fue sendero de vida
de ideal transfigurado,
y de verso vitoriado
de una luz enaltecida.

Cual estrella de alborada
en su verso cristalino,
fue forjando su destino
de antillana iluminada.
Siempre en verso emocionada
por su altivo desafío
fue señal de poderío
con fulgores destellantes
en décimas deslumbrantes
de su corazón bravío.

Sus ansias de libertad,
ofrendaron la señal
para hacer de su ideal
morada de dignidad,
y a encarar la tempestad
con ardiente corazón,
ya que sus cantares son
eternidad de poesía,
inquietud de valentía,
luceros de redención.

Luces

Astrid Guerra

Cuántas veces
tiene que salir
la Luna
para que sea
libre
el resplandor

a qué olería
el Sol
si fueran
libres
los destellos
que engalanan
a todas las montañas

cuántas veces
ha de morir la vida
para que sean
libres
los hijos
del valor

antorchas encendidas
de pie
cantos de verdades
simples

puedo perder
la cruz
pero nunca la fe

puedo perder
el rumbo
pero nunca el honor

puedo ir
a todos
los rincones
de la Tierra
y siempre
regresar a casa

pueden cerrar
todas las puertas
encadenar
los pies

puedo perder
el habla
pero nunca
nunca
nunca
Mi Voz

LOLA
Consuelo Mar-Justiniano

Lola es la borinqueña
que siguió la señal
de ese llamar patriótico
que la invitó a luchar.

Ardió su corazón
al ruido del cañón
y del tambor guerrero
caminó hacia la reunión.

Lola confió en que el Grito
se habría de repetir
y enfiló su machete
para vencer o morir.

Siguió de cerca a Cuba
libre del yugo va
y fue por verso y rima
la letra original.

Lola mujer rebelde
brava de San Germán
eres la borinqueña
en busca de libertad.

Poema para Lola Rodríguez de Tió
en sus propias palabras
Daniel Torres Rodríguez

"Quiébrate en mi seno,
que pronto volverá la bruma,
y será en vano que se ausente,
al gemir de las olas y del viento,
cuando intento a veces escupir la espuma,
de un corazón que se sumerge en llanto.

¿Por qué he de amar? Si no merece tanto.
(nada puede la fe, viene el marasmo)"

Se habla de Lola

Dinorah Cortés-Vélez

domo mis versos cual el gaucho doma
sus salvajes corceles en la pampa

Lola Rodríguez de Tió

Se habla de Lola.
Lola llamarada
que levanta enardecido corazón,
fulgurante ascua.

Se habla de Lola amor.

Lola ofrendante.
Lola nombrada
Ternura Revolución.

Se habla de Lola,
Lola cuidadora de sueños corceles,
en carrera desbocada
hacia horizontes teñidos
de sangre matria.

La golondrina del campanario
Doris M. Irizarry Cruz

¿Cómo quieres, di, que viva
cuando estoy lejos de ti?
¿si te llevas toda el alma
cómo pues, he de vivir?

Lola Rodríguez de Tió
Mis Cantares

Un arrullo de alas
canta tu nombre
cada septiembre
sobre las calles
de San Germán

María de los Dolores–

¿será tu nombre
el presagio que florece
en los robles amarillos?
¿será por eso
que se arrebolan
los adoquines
cuando del pecho
sus blancas plumas

la golondrina deja caer?
¡Ay, Lola!
te han visto
en el campanario

eterna
blanda
sola

tañéndole nanas
a tus tres patrias

    la patria de tu cuna
        la patria del amparo
            la Patria de tu vientre

dicen que en tu ventana
aún brilla un nido de flores
y que en un blanco rayo de luna
te des-ho-jas
a besos
todas las noches

    Lola, rayo en la niebla
        Lola, clara en el horizonte
            Lola de la libertad

eres la casa grande
que nos acuna
el beso que los siglos
no han podido fragmentar

eres la reluciente estrella
un racimo de luciérnagas
en la bruma
un soplo de luz
en la oscuridad

vengo a llorar contigo
las penas de tus Cantares
a aliviar tu alma triste
vengo a cuidar los jacintos
que un día sembró tu amor

Lolatierra
Lolaverso
Lolapoesía

¡golondrina del campanario!

bajo tus nobles
alas abiertas
cabemos todos

en el regazo de tus poemas
entre llantos, glorias y penas
aún sigue reverberando
la espada luminosa
de tu voz

voz que grita
la Borinqueña
el canto reluciente

que nos une
que nos cura
y que estremece
al más duro corazón

Una idea me levanta
Edwin Fi

El poema me saca de la cama.

Gioconda Belli

¿Poeta? No. Sobre el macizo idioma
en que su huella el ideal estampa,
domo mis versos cual el gaucho doma
sus salvajes corceles en la pampa.

Lola Rodríguez de Tió

Lola, contrario a ti
soy poeta que lo doman los versos...

En ciertas horas, en la medianoche,
entre el insomnio y el sueño,
la idea me levanta con empeño
para que mi cuaderno desabroche.

La maquinal pluma traza el derroche;
mientras que en las brasas llamea el leño,
las sombras y el silencio me hacen dueño
y mi carne se ampara en el reproche.

Luego de esbozos y tachaduras
ya la idea ha sido transfigurada
en un poema de enconadas suturas.

Es el lenguaje del alma asediada.
Es el manifiesto de las roturas.
Es la opulencia del frío y la nada.

¡¡¡Volverán!!!

Efraín Torres González

Volverán
¡Las Hermosas Golondrinas!
Al Balcón que guardaba tus quimeras!
Volverán
¡Los poetas de tu pueblo
A clamar a la esencia de tus versos!
Volverán
¡Rutilantes los viajeros
A caminar tus lomas y senderos!
Volverán
¡El clarín y la trompeta
A sonar desde Cuba en tus riberas!
Volverán
¡Desde Lares los machetes
Con Manolo el leñero, fiel guerrero!
Volverán
¡Tantos hilos sobre el pecho
A tejer cual Mariana, tu Bandera!
Volverán
¡Los Betances!
¡Los Ruis Belvis!
¡Los Mariano Quiñones!
¡Los Manuel Cebollero!

Volverán
¡Matheus Brugman!
¡Manuel Rojas!
¡A liberar la Patria
De imperios traicioneros!
Volverán
¡A entonar la Borinqueña
En sus voces los niños de mi Pueblo
Para cuidar la conciencia de la Patria!
Volverás
¡Toda Lola, en tu existencia!
¡A batir como el mar en las riberas
Te abrazará la Habana
Eternamente!
¡Cual poeta patriota del Caribe
Te acudirán al cielo golondrinas
Desde el sol
De la acrópolis de la Habana!
¡Hasta el balcón
Entre las lomas de tu Pueblo!
¡Cual pájaro en dos alas
Caribeño!
¡Que Puerto Rico y Cuba
Están por siempre
Enlazados!
Entre vuelos en tus versos!
Volveré!
¡Hasta el reposo de tu cuerpo
Mi viaje a la otra ala
Será siempre!
Un remanso de paz a tus recuerdos!

Alivianar!
Tu ausencia y tus pesares!
Un manojo de flores a tu esencia!
Sobre el frio
Del mármol de tu tumba!
Con tu imagen
Eterna de poeta!
Volverán
Las hermosas golondrinas!
Al balcón que guardaba tus quimeras!
Volverás
Siempre Lola en la memoria!
Golondrina viajera entre mil versos!

A Lola, el Grito y su ideario
Elga Del Valle

Recorres derroteros
de arenas lejanas
mientras las tuyas
se consuelan
con el vaivén de las olas
y el sueño de libertad
que muere con cada ocaso

Te envuelves en ese sueño
perpetuo
inmarcesible
del regreso a tu tierra
allí, donde no existan
más exilios, donde
la palabra no sea condenada
a murallas tortuosas
a calabozos abarrotados
de dolores e injusticias

Tus letras te salvan
y resucitan tus ganas,
miras impávida,
con ansias

la posibilidad del retorno
a prados donde descalza
puedas gritar la llegada
de la ansiada libertad

Contigo, el horizonte
pare bermejo el día
y el viento susurra
sereno, en canto acompasado
este es el día,
   este es el día…
      libre y sola fulgura tu estrella,
        Borinquen…
           "la libertad, la libertad, la libertad, la libertad"

Salvar la rosa
Elsa Tió

A Lola Rodríguez de Tió

Practicó la dicha por la libertad,
el gozo del amor y el canto a la amistad
Profanó la falsa cobardía
vivió bajo el color de las tinieblas.
Que infunden miedos, sepultan libertades
y no se cansan de repartir angustias.

La atravesó el dolor de cuatro hijos muertos
y su tiempo sigue siendo eterno en cada patria
que se afana en sus sueños.
Conoció el riesgo y la luz infinita del valor
se enfrentó a los que persiguieron su himno,
y encarcelaron a los abovedados.
Y su destino se volvió un destierro espeso
como un recuerdo duro.

Su corazón lo rodeó de espinas
para salvar la rosa,
fue la corona de sus sufrimientos.

Pero no pudieron secar las semillas
nacidas en su frente
y en medio del terror se abrazó a la solidaridad
e hizo florecer la patria que todavía nos mira.

Lo la
Elidio La Torre Lagares

tus trenzas peregrinan   lo infinito
tu fuerza   no se da   al vuelo   ligero;
el destierro   no mata lo sincero
queda   indócil   el valor   de lo escrito

ahí empuñas   tu verso   de foete
galopas   la causa   y su consecuencia
por la tierra   noble que es   la querencia
y flora   en el filo   de tu machete

dos   patrias   y un canto   que nadie acalla
mujer de (su) gana   y de brava ola
en tu barca   bella   que nunca   encalla

aunque   la ausencia   te haga   un poco sola
la verdad   te acoge y   nunca te falla:
la América nuestra   tendrá   su Lo la.

Musa de las lomas
Fannie Ramos Vélez

Sobre un escueto tintero,
bajo la luz de una lámpara
una poeta a la que llaman Lola
esboza unos versos.

Asomada en su ventana, la luna.
En la pared, la sombra agitada
de unas ramas.
A su lado, otras tres mujeres:
Anacaona, Enheduanna y Calíope
le susurran secretos de otros tiempos.

Su pluma no escribe,
cabalga las sílabas,
doma las palabras,
esculpe el poema,
invoca misterios,

de cómo es que trascienden los mortales,
de cómo es que se eternizan.
de cómo es que se hace patria,

de cómo se abrazan
todos los dolores y todas las luchas.

Quién sabe de qué poeta
—al otro lado del mundo—
ha sido musa.
Porque los bardos no mueren,
se perpetúan en las páginas.

Lola se ha quedado en el viento,
en el paisaje, en la gente,
en los viejos adoquines de la plaza,
en las plumas de los poetas.

Abro los ojos con asombro.
El ave de las múltiples alas
ya no está en el tintero.
En el cielo nocturno
se dibuja la estela que va dejando.

La musa de las lomas ha venido
a susurrarme unos versos.

"LoLa"
Frances Ruiz Deliz

Cuatro letras que conforman
un apodo sencillo.
Un nombre común,
como el Pérez de la Antígona
que negó su Santiesteban.

Un cuarteto de grafías
como "AMOR"
grande, sencillo e implacable.

Cada letra un punto cardinal
buscando libertades.
El mismo número de las Antillas Mayores.
Una correspondencia destinada
desde el propio nacimiento.

Dolores, ¿quién lo hubiera figurado?
En tí se cobija el llanto,
como cantó Julia:
"el más grande de todos nuestros llantos isleños".
Tu nombre un adjetivo
que precede despertares.
Y así, siendo sólo Lola

se concreta el sentimiento
de que la libertad predicada
junto a "El Antillano"
es grano de mostaza
que algún día
haremos cosecha.

Soliloquio del vedado
Ingrid Rodríguez Ramos

Yo no me siento extranjera:
bajo este cielo cubano
cada ser es un hermano
que en mi corazón impera.
Si el cariño por do quiera
voy encontrando a mi paso,
¿Puedo imaginar acaso
que el sol no me dé en ofrenda,
un rayo de luz que encienda
los celajes de mi ocaso?

Lola Rodríguez de Tió

Sola
Al abandonar el bullicio de la superficie,
me adentro en la magia de los pasos
que lentos fracasan el intento
para cejar la insistencia del tiempo
de transformarse en mañana

Puertas, abren como madrigueras
descubriendo placeres de arte modesto,
sin precio
en la envoltura de paredes que mudan la piel.
Nada se tira.
Los muebles cargan cicatrices de pega y madera,
tornillos se abrazan a otros
en la esperanza de alargar la vida

Los de afuera no lo entienden.
Se preguntan porque no venden sus castillos
a Sherwin William
como si la uniformidad de un muro recién pintado
valiera lo que puede dar en el mercado
el diablo por un alma.

Las criaturas siguen volando
y si Nueva York pinta cieno, alambre y muerte
este paisaje pinta
resistencia, resiliencia
Cuba libre, Cuba vida
Patria o muerte
Venceremos,
que el amor anda rondando
y acá la gente se toca
Aquí sale música de los huecos
que se forman del desgaste de ladrillos.
Yo me uno al coro.

Desde Tula hasta Yolanda
mi voz suena a arreglos musicales
a afinación y guarapo de caña
a poesía que se escapa
en la cafetería Habana
cuando entre mojito y bucanero
un poeta me llama colega descalza
como las Carmelitas del alma.

La vida me sabe a hermandad,
a teatro
a ese arte que empodera
a cigarros en el museo
a gritos desde la esquina,
en despedida
"Nos vemos Boricua:
de un pájaro las dos alas"

La raíz de mi lengua
hecha para lo amargo
amarra un nudo
Cada lágrima precede a otra.

Ante la cercanía de mi partida,
Lola musita sus versos

Disonancia del pitirre

Iris Miranda

A Lola Rodríguez de Tió

Canto de gracia divina
Dolores nos regalaba
En ella sus letras daba
voz a la patria mía
ajusten bien la mirilla
al ruido de su cañón
y aleja todo el temor
de la lucha y del empeño
porque ser puertorriqueño
es serlo con grande honor.

Cuánto tiempo ya ha pasado
de aquel momento en la historia
Ya no hay machetes para el trabajo
todo lo hacen las máquinas
el pueblo está embelesado
con el dañino mantengo y
promesas vacuas del norte.
Pocos entienden de honor
a sus hijos les cambian la lengua
mientras ellos la mastican

y viven pegados a los trucos
de la gente plana del televisor
Baile, bachata y baraja...
han alejado la señal
del latido.

¡Y cuánto dolor, Dolores!
También.
El de la tierra perdida
El de las aguas estancadas
El de los cielos de huracanes...
Y el de este fuego interno
ya casi cenizas
-que la lucha del corazón duele
como tu nombre, Dolores-
ante el primitivo
egoísmo.

Aunque la soledad de la Patria
invada la casa,
yo le voy
al pitirre que veo desde mi ventana
que no va a dejar de cantar
por si puede, con sus picotazos,
abrir los oídos
del orgullo
y batir con sus alas
como viento recio
de ruido de cañón
inesperado, esta pesadilla nuestra.

Una mujer de dos patrias
Irma Antonia Maldonado Villalobos

Seres agazapados
en el torcido y contumaz acecho
quisieron silenciarte los cantares,
pero tu voz inmensa trascendió proscripciones
y refulge sutil y poderosa
en tus cantos de patria y libertad.
Fue el filo de tu verbo
una daga precisa
para soltar cadenas a los presos
discípulos de Baldorioty.

Lola aguerrida,
conociste fronteras y destierros
que punzaron profundo en tus querencias
y desgarraron sueños
y, aun así, quisiste quedarte con nosotros
en tus bellos *Cantares*
en tus *Claros y nieblas*
y en tu poesía triste del exilio.
Te veo llorar dolores
en la nube que vierte los silencios
en los abismos de la indiferencia
de tu pueblo que pierde la memoria.

Si sumerjo mi espíritu
en el río transparente de tus versos
las gotas que titilan cayendo de mis ojos
son como agua bendita
que, conmovidas, ungen remembranzas.

Lola puertorriqueña,
con corazón de guayacán florido
que dio sombra y amor a sus dos patrias
mordidas por las fauces del destino,
perro hambriento y colérico.
Lola de la ternura terruñera
por tu soñada isla,
herida de distancias y de ausencias
y mucho más que el Mar Caribe en medio.
¡Cuántas lágrimas, riachuelos doloridos
brotarían observando
las alas del crepúsculo cubano
que querías hacer tuyas
para emprender el último regreso
a morir arropada de terruño
entre las verdes sábanas
de las amadas lomas sangermeñas!
¡Qué pena, Lola, que no están tus restos
llenando un gran vacío en nuestra tierra!
Un lugar tuyo, amado y merecido,
donde un árbol nativo te cobije
como una casa sin puertas ni ventanas
y rían lo lirios al oír tu nombre
en los trinos del ave que lo anida.

Las manos de Lola

Jacqueline Girón Alvarado

Cuando las multitudes alborotadas de rebeldía
bailen, canten, sueñen el reclamo del arcoíris;
Cuando las multitudes en los campos, barrios, calles
y pueblos
bailen, canten, sueñen el derecho a la Utopía;
Lola, acompañada de estrellas,
llevará prendidas en el pecho
Todas nuestras manos.

El pasado será expulsado del presente
bajo una lluvia de hojas cristalinas
en el abrazo redondo y caribe
forjado a puro grito de esperanza.
¡Saldremos contigo o no saldremos!

Seremos ricos de puertos hospitalarios
No habrá precipicio que no escalemos
Para llenar de flores los acantilados;
De la arena saltarán manantiales del milagro
De las manos de tu pecho.

Lola, conspiraremos contigo
No podrán detenernos;

¡Somos tantas manos, tanta Isla, tantos los anhelos!
Aplaudiremos a carcajada limpia
Guiarás la jornada hacia la luz
¡Saldremos contigo o no saldremos!

Lola, acompañada de estrellas
Creadora rutilante del fuego,
Conspiradora perpetua de senderos clandestinos.
¡Saldremos contigo o no saldremos!

No habrá muralla que no escalemos,
No habrá horizonte que no crucemos,
Para aspirar a la Gloria de tu pecho
Celeste, alado, diamantino
Seremos puertos ricos,
¡Vivos de esperanza a manos llenas!

Mujer y canto
Kristine Drowne

Ardientes letras
de jíbara
y guajira.
Sueño eterno de Libertad.
Líricas de un himno
de furia y soledad.

De un pájaro las dos alas,
dos islas hermanas
y un solo corazón.

Viajera con alas,
rosas,
y más balas
sobre un canto ensordecedor.

De gritos,
de Yara,
de Lares,
revolución.

Militante,
guerillera,
corazón en la izquierda,
al igual que Martí,
Betances,
y Hostos.

Despierta borinqueño
que nos han dado la señal.
Dolores se fue al exilio
por exigir Libertad.

Mirando mi rostro
en tu reflejo

Lala González Rodríguez

Mirando mi rostro en tu reflejo
puedo sentir tus latidos fatuos
los hago míos
como sé que harías tuyos los míos
ambas sufrimos por lo mismo
tú en tu tiempo
yo en el mío
la Matria nos parte en dos el alma
y no sabemos qué hacer para ayudarla

Pareciera ser que no hay consignas que la despierten
ni tumultos que la hagan moverse
duele mucho verla perecer en manos del villano
sin ganas de luchar para salir de ese embargo

Me parece verte caminar por las calles
de tu San Germán nuestro
pensando en cómo despertarte de este marasmo
buscando otras mujeres que se atrevan a dar el grito
que nos libere de las cincuenta rejas rameras

Pelo largo
Lara Denise Ortiz Sánchez

Pelo largo.
Los hombres querían que tuviera el pelo largo.
Que fuera reflejo de lo que consideraban bello
como si tuviera la obligación de satisfacerlos.

Callada.
Los hombres querían que me callara.
Que me sellara los labios con soga
y fuera una más de la multitud.

Escribir.
Los hombres querían que dejara de escribir.
Querían que me cortara la mano
porque escribir es de machos
como si eso me importara a mí.

Publicar.
Los hombres querían que dejara de publicar.
Porque mis palabras le sacudían el cuerpo
y reconocían la fuerza que tenían.
Control.
Querían que me controlara.
Porque era descendiente de Juan Ponce de León

y hablar en público teniendo la matria
era una prohibición.

Matria.
Quisieron sacarme, alejarme,
desgarrarme, arrancarme de mi matria.
Y no lo lograron, porque encontré a su hermana
y de ella hice mi casa.

En represalia.
En represalia me han ignorado.
Me han condenado al olvido
me han hecho migaja de pan entre archipiélagos.
Le esconden mi cántico a la matria
y me pintan de problemática de La Habana.

Acabó.
Ya eso se acabó.
Porque aquí estoy.
Frente a ustedes.
Cada 14 de septiembre.
Con que una niña me encuentre
viviré para siempre.

Tu voz
Leticia Ruiz Rosado

cuando el almo cielo
desciendes a calmar nuestro hondo duelo

Lola Rodríguez de Tió

Rauda
levantas *Claros y nieblas*
siempre triunfales
(cantas libertaria)
tu impronta descolla libre
al son del machete
(incendiaria)
vigorosa ansiosa
rotunda palabra:
endecha

Son señales
penetras ciudades esclavizadas entre gritos mañaneros
otro Lares
signan tantos zorzales
en bandadas:
apoteósica gesta.

Lola
Ligia A. Arce Rivera

Lola, la gran Lola,
tus pensamientos los convertiste
en acciones vivas, fuertes
que solo tu fortaleza podría soportar.
Femenina y amorosa
sacrificaste tu vida.
Tu destino comprometiste
por tu patria querer salvar.

¡Soledades sentiste!
Las cartas que escribías
eran epístolas de amor y esperanza,
poemas inspirados en tu lucha
por la libertad.
Como pájaro que canta,
la naturaleza supiste admirar.
Puerto Rico en tu alma,
¡cuanto más lo podrías amar!
Tu poesía será eterna
¡San Germán, agradecido está!

Evocación patriótica
Lizamar Rivera Santiago

A Lola Rodríguez de Tió

Lolita, poeta hermana de todo aquel que vivió,
luchando porque la patria dejara escuchar su voz,
Puerto Rico está orgulloso por tu determinación,
liberando a las mujeres del yugo de la opresión.

Una mujer luchadora, preparada a defender,
los valores de aquel pueblo que no se quería vencer…
No se dejó subyugar por el centurión tirano,
que con fuerza y con poder, ¡le quiso amarrar las manos!

Con ingenio y valentía, un himno nos heredó,
himno que lleva consigo, su palabra de gran don,
la muestra de amor profundo por su pueblo en sumisión,
para que pronto despierte del sueño en que se sumió.

Poeta en revolución, de perspectiva en vanguardia,
la mujer de grandes versos, que por su tierra luchara,
que hasta Cuba fue a parar, por no perder la batalla,
que el destino le tenía… ¡por defender a la patria!

Todavía disfrutamos de la obra que dejara,
a su pueblo, San Germán, y a Cuba, la tierra hermana,
haciendo guerra al tirano, luchando a capa y espada,
y con furia redimiendo, la sangre ya derramada.

Por su determinación, Lolita fue desterrada,
siempre al lado de Martí, luchó por la tierra amada,
fue echada de nuestra Isla y hasta Cuba se marchó,
y, soñando la Independencia, la muerte la sorprendió.

Con tus recios ideales, libraste algunas batallas,
combatiste a los compontes, diste acicate a tu raza,
pero, algo te confieso, que aunque la gesta aún no marcha,
la semilla está latente, ¡y "la grey, atribulada"!

Nana de madrugada

Lucía Margarita Cruz Rivera

Canta, poeta, canta
nanas para despertar
el sol de la patria se ha extinguido
esperando versos de señal
que no se mueran…

De escarlata el flamboyán ha florecido
cada hoja combativa es luciérnaga
en el perdido manto de las estrellas
y conspira en la neblina mañanera
en el aire de las risas campesinas

Canta, poeta, canta
nanas para despertar
el astro de la patria está escondido
en espera de versos en señal
que no se mueran…

Los riachuelos se deslizan y conspiran
en cada roca van escritas alabanzas
color café de la esperanza viva
y se detienen en la historia cuando pasas
con la nana libertaria de esta Antilla

Canta, poeta, canta
nanas para despertar
la aurora de la patria
ya no es rayo en los nidos
y espera versos de señal
que no se mueran...

Las cosechas amanecidas de rocíos
Gota a gota, sangre a sangre
son cristales pomarrosas
en coronas y vestidos
y en su fulgor creído como lujoso atuendo
va la joya que hincará el futuro nuestro

Canta, poeta, canta
nanas para despertar
la alborada de este pueblo
aún no ha sido
y aguarda versos en señal
que no se mueran...

¡Madruguemos, borinqueños!
Ya se ha escuchado la nana
la señal ya fue muy clara
y es imposible perdernos
la corona ya es invierno
ahora del norte es la ola
y aquí tenemos a Lola
fiel patriota en el deber
y nos dirá cómo hacer
en el siempre y el ahora.

Canta, poeta, canta
nanas para despertar
la amanesca de este pueblo
ya ha venido
y los versos en señal
no morirán …

Patria

Mairym Cruz-Bernal

¿Por qué he de amar? Si la existencia mía
se va acabando en silencioso duelo...

Lola Rodríguez de Tió

Estuve en la farmacia cuando hombres
                    contigo se reunieron
tú eras la única mujer y tomabas nota de tu época
tiempo de lucha, habrás sentido la sensación
                    de soledad tan íntima
mujer de manos gruesas,
la tinta resbalaba con tu fiebre
sudorosa y perdiendo la batalla de un país natimuerto
cómo habrá traído orfandad a tus sueños
hoy me pide mi consciencia darte en tributo
el duelo de mi propio silencio
dos veces ultrajada nuestra isla
de rodillas puesta ante la fiera del norte

¿por qué has de amar? preguntas tú cien años antes
¿por qué he de amar? pregunto yo cien años después
y sigue el cielo besando el mar tan tibio
y sigue el mar creyéndose tan cielo

Nada más, Lola

Me despido del sueño, de la utopía, de las auroras
que desde las alturas la tierra no está rota
la tierra es toda mía y toda tuya, Lola
excepto que la patria está en otro lugar de las entrañas

Serás himno a la libertad
Marilourdes Acevedo Román

A Lola Rodríguez de Tió

Y qué es un sueño al borde del abismo,
en los ojos, un anhelo.
Y qué de la palabra impetuosa,
la que te gana los adjetivos
de ilustre, poeta
o tan solo MUJER.
Y qué de los sacrificios;
de la distancia interpuesta entre el querer y el deber.
Y qué de todo lo ajeno,
al devenir de nuestra conciencia histórica,
a nuestro ser como pueblo.

Tu nombre será recordado por generaciones.
Tu amor sin medida
será plantado en cada corazón que palpite.
No vivirás entre las páginas polvorientas de un libro.
Serás himno a la libertad.
Te llamarán MADRE
y reclamarán, en tu nombre,
la tierra que los vio nacer.

Te recordarán por generaciones,
por asumir el dolor de parir la Patria.

Canto a Lola
Mildred de Santiago

Despierta borinqueño que han dado la señal,
despierta de ese sueño que es hora de luchar.
¿A ese llamar patriótico no arde tu corazón...?

Lola Rodríguez de Tió

Seguramente, bajaste a toda prisa
por la conocida ruta adoquinada
fiel a un solo pensamiento,
ese llamar patriótico que ardía en tu corazón.

Esta vez, de frente al mandamiento
no te entretuvieron trinos ni dolores,
marchaste alucinada a descubrirte
en la trastienda de la farmacia del pueblo,
sagrado punto de encuentro.

De un trazo se alzó el reclamo
habitante en tu conciencia de mujer patria,
mujer poeta,
mujer justicia de mujeres,
de próceres en cautiverio,
liberados por tu indomable palabra.

Tú, madre cinco veces huérfana de hijos,
tantas veces exiliada.

Entre el dolor y el amor pariste el himno:
que nos espera ansiosa, ansiosa la libertad.
Lo escondieron por décadas,
como hicieron con nuestra bandera.

No perdono tu exilio, Lola.
Reclamo tus versos inéditos
frutos de tantas lágrimas.

Condeno la prisa, la fatiga de las veces
con que preparaste maletas casi vacías...
quizás, un retrato, un rosario
o algún libro esencial en tu vida.

Condeno el temor frente a las olas tempestuosas,
mientras la distancia se te hacía horizonte
entre el barco,
la Isla amada
y una historia crecientemente mal contada.

Condeno el exilio que en momentos de oro
te arrebató lo que más amabas,
porque te he sentido sola, aunque acompañada.

No perdono el destierro, pese a que en su ala
recibiste aceptación,
amor y abrigo.
Mas el dolor que en

   la última hora
te hizo clamar ¿Para qué amar?
¡No lo perdono!

Tú, Lola de amor, refulges del mármol lapidario,
cual eterna conciencia del ala borinqueña
sumida en siglos de agravios.

Hoy, esta ala, te aseguro
arde por entregarte un ave soberana.

Lo que a mí me da la gana
Miriam Damaris Mardivino (Maldonado)

Es verdad no soy anciana
pues no he cumplido sesenta,
pero soy una Antillana
que defiendo por mi cuenta
lo que a mí me da la gana.

Lola Rodríguez de Tió

gracias, Lola, gracias. por desenterrar el machete
de los vientres
de cada una de nosotras
criaturas apalabradas \ hijas\ somos\ la misma matria

gracias, antillana, gracias
por cortar pupilas vacías
y llenarlas de un mar de ciudades\ cruzar en dos
alas\ aquí y allá
soltar liras\ parirnos a cada
hija que brota
un himno que corona huellas desnudas

gracias, poeta, gracias

por desangrar gargantas
de palabras encarceladas
que construyen pausas\ (silencios) en los ojos mudos
que cuelgan canciones que palpitan
lo que a mí me da la gana,
a tus hijas\ la voluntad

gracias, borinqueña, gracias
por abrirnos
tú si sabes no estar
tú sí sabes
desangrar la historia
volverla a hilvanar
desdoblar pantalones (des)manchados
contar periodos
menstruar la historia
zurcir ecos que caminan

lo que nos dé
la gana
a nosotras\la voluntad

gracias, amiga, gracias
por incendiar(nos) y repartir(nos)
en trozos que siembran plegarias
y retuercen *almojábanas*
que se atragantan en discursos de señoritas casi sordas
mujercitas que renunciaron a los dolores intestinales
del pueblo
y de los otros pueblos
y se tragaron páginas silenciadas manchadas

de *Claros y Nieblas*
de cafés amargos y espuma que *Ofrenda* libertad.

gracias, Lola, gracias

Ser ala
Pedro Juan Ávila Justiniano

Te hallé en la fosforescencia de tu voz
en la memoria engarzada por el torrente.
Aparté la estocada del olvido
para erguirte en la contienda
derramada en las cuencas libertarias.

No olvido
que un vil gobernador
derritió los barrotes en tus pies
para que fueras a Caracas.
¡Cuán glorioso destino aquel encuentro
con Eugenio y Belinda!
Y la corriente bienhechora del Orinoco
amamantando tus semillas.

El ojo del valeroso sol
ese pujante astro estremecido
forja la clarinada de tu llamado.

Eres corazonada en la vigilia
vaticinio en el clamor
cuando tu himno rebervera en el Grito
como revocación del labio cobarde.

Ser esa ala liberada del pájaro antillano
sacude el letargo que arrodilla a las noches
en que desarmamos la ignominia
del lameojoso rabo.

Es airar el firmamento con antorchas
hendir el viento con tus poemas desbocados
porque ser ala
es ser también destino.

En el hoyo
Roque Raquel Salas Rivera

En el hoyo de tu barba
Quisiera meterme yo,
¡Ay! Que sabroso sería
Morir entonces de amor!

Lola Rodríguez de Tió,
"IV", *Mis Cantares*

Entre un cantar,
un "cantarcito" y un canto
se da

la Lola emo de los Cantares.

La solidaria, la que luchó,
ya la tenemos clarísima,

pero me gusta también la Lola,
cuyo deseo penetró el "hoyo",
hoyito, hoyón pelú de su amado.

Lola sabrosura,
si voy a dedicarte un poema
(este, por ejemplo),
no sería por tu procerato.

Escribiría tras enroscarme
en el hueco del mentón,
el nido de la barba
de aquel señor que te mató
tranquilamente.

Me gusta imaginar
que debajo de tanta rima,
tanta decimonónica vestimenta,
sudabas por el Caribe
y por querer meterte
media horita
al charco.

Conversaciones con Lola
Rubis Camacho

ando revuelta de mechas y vestido
por alzarte
Lola
en la palabra
yo
acostumbrada a la negrura
soy la desvelada
y centinela
mientras...
la noche se acuesta sobre mi cabeza
como el sagrario de una iglesia viva

como búho detrás de tu lámpara
respiro en el jardín de tus pulmones
en días como hoy
de exacta soledad
el animal que soy
-que he sido-
busca tu voz
Lola
revelación y profecía
¡Lola!
estatua hecha de verbos

¡Lola!
largo corazón latiendo

¿Imaginas, Lola, que el pecho me diera
¡Lola!
para gritar los nombres de quienes viven
¡Lola!
tan callando?

porque se hace la luz dentro de tu ojo
¡Lola!
en silencio
como revienta la luz sobre el planeta
y tu isla es un cuerpo sencillo
en esa hora de Dios…
donde todo es intento, afán y cercanía

¿dónde gime la tinta
con la que tramitaste tu exilio (de nave)?
¿dónde el buche de piedras
hasta que cantó el río
su redención milenaria?

una no sabe de esas cosas
Lola
hasta que topa en su patria con la muerte
Lola
hasta que la sed es larga
y la tarde cae vencida
en un racimo

una no dirime estas cosas
Lola
hasta que confirma
en el camino a la ternura
la misión de construir
hasta con dientes
-como lo hiciste tú-
con tu pecho
con tus huesos
con tu vida...

30 de octubre
Solimar Ortiz Jusino

A ese llamar patriótico
¿no arde tu corazón?
Ven, nos será simpático
el ruido del cañón.

Lola Rodríguez de Tió
"La Borinqueña"

En la cuna del recién nacido sol
se confundían las voces con el cantar de los gallos
despertando en los campos y ciudades
a hombres y mujeres llamados por la ignominia
y las ansias de ajusticiar la Matria.

Salió del papel la signatura de Valor y Resistencia
que sellaban los juramentos.
Bendito el paso bravío que formó los caminos.
Benditos los minutos que atemperaban los corazones
en la hora justa del primer disparo.
Benditos los pitirres que alzaron vuelo
con la dignidad como bandera.

Una cruz potenzana sirvió de brújula
a las células que discutirían por las venas
monte adentro de Borinken

cuando una voz llamaba al momento decisivo.
Bendita la hora del trote de cadetes
en el Valle de los Flamboyanes.
Benditos los corazones que aman sobre todas las cosas
en el horizonte de la Sultana del Oeste.
Benditas las gotas que tiñeron los ríos
de la Perla del Sur.
Benditas las almas que encaran la mentira
bajo la mirada de los Tres Picachos.
Bendito el otoño y sus treinta hojas caídas
dentro de la Ciudad Amurallada.

Se hizo tarde para el segundo disparo.
Porque las ansias de libertad
no las callan las metrallas ni fusiles.
Los vuelos de aves metálicas
que circundaron los cielos cordilleros
segaron las vidas a fuerza de explosiones,
pero no desapareció la ondeante tela tricolor.
Benditas los pasos indómitos
del empuje versado por Lola.
Bendita la hora que resiste al tiempo
para no caer al abismo del olvido.
Bendito sea el grito emancipador
que esgrimen la espada y la flor,
mientras dispara gallardía
y se eterniza como alarido libertario...

Bendito sea siempre el 30 de octubre.

Espiga de afán heroico

Susie Medina Jirau

Mujer nacida en el vientre
de amaneceres gloriosos
donde los días se empinan en la lucha
y el aguacero orquesta la justicia
sobre el garfio del relámpago.
Alza sus alas el machete
en el himno nacido de tu ardor revolucionario.
Izó en nuestra patria racimos de esperanza
nadie pudo acallar aquel grito
apretado en tu garganta.
Fue su voz estocada
presteza infatigable para encender
el rugir del cañón borincano.
Su clamor inmortal
silbo de luz en nuestra historia.

Riqueña
Yolanda Arroyo Pizarro

I

Creo en Lola Rodríguez de Tió todapoderosa
creadora de la Borinqueña de este mundo
revolución caribeña visible e invisible
creo en Cuba y Puerto Rico como pájaro en vuelo
sus dos alas *reciben flores y balas sobre un mismo corazón*
creo en su cosmos agitador e insurrecto
en el universo paralelo abierto
a las mujeres valerosas de esta tierra
en el despertar borinqueño que han dado la señal

Vámonos, borinqueños
vámonos, borinqueñas
Creo en Lola Rodríguez de Tió todapoderosa
vámonos ya

Creo en los contaminados de Peñuelas
creo en Vieques y su lucha
creo en los presos políticos encarcelados
y en los presos políticos sin cárcel
aquellos que vamos todos los días a laborar
a cambio de un salario mínimo muy mínimo

como si continuáramos siendo esclavizados
como si todavía existiera el carimbo
como si todavía hubiera bozal

Creo en la palabra Riqueña
esa que esbozó Lola en su insigne
"Despierta borinqueño"
la Riqueña que me invita
como mujer negra y orgullosa
mujer liberta y libertaria
mujer con valor a lo *Lolarodriguezdetió*
creo en el duelo por el pueblo
esta isla que ha sido masacrada, muerta y sepultada
según las escrituras
según los huracanes
según los terremotos
según una pandemia
esta isla que ha descendido a los infiernos
de una junta de control fiscal
y que al tercer día resucitará con machetes
a la derecha de un dios padre pocopoderoso
que permite que sus creyentes hagan tanto mal
creo en pedir el perdón de sus pecados
confío en que ese reino sí tendrá fin

Creo en Nicolás Guillen, en Llorens Torres,
en Palés Matos y Corretjer
en el Espíritu Santo que es Julia de Burgos
en la santa Iglesia que es el país de cuatro pisos
cuyas columnas son Albizu Campos, Cancel Miranda
Oscar López Rivera y Lolita Lebrón

creo en la comunión de los santos
en Hostos, Betances y Luisa Capetillo
en el perdón de vender y regalar nuestras playas
nuestros terrenos de dominio público
marítimo terrestre
a los intereses de los ricos
a los bancos, los hoteles y a la milicia imperial
perdónanos, Madre, porque no saben lo que hacen

Creo en los estudiantes
en la liberación que da la vida universitaria
creo en la resurrección de nuestra *afrobabilla*
en la existencia de un mejor destino
gracias a la separación de iglesia y estado
creo en el *prietagonismo*
y en la conversión de este archipiélago
en la República de Puerto Rico
creo en la vida de un mundo futuro digno y libre
Amén.

II

Vámonos, borinqueñas
vámonos ya,
hagamos como Lola
periodista, poeta, defensora
de la independencia de la isla
figura importante en la historia literaria
revolucionaria, abolicionista y feminista

escribe en *El Eco de las Lomas* en 1878
dirige un soneto dedicado
"Oda en alabanza de Calderón" en 1881
luego de su primer destierro
funda una revista: *La almojábana*
sus poemas aparecen en *El Palenque de la Juventud*
Lola Rodríguez de Tió dejó huella

Vámonos, borinquoñas
vámonos ya,
hagamos como Lola
escribamos una versión revolucionaria del himno
inventemos otro Grito de Lares
un Grito de Cataño
un Grito de Carolina
o un Grito de San Germán

Vámonos, borinqueñes
vámonos ya,
hagamos como Lola
declaremos a Cuba y a Puerto Rico pájaro de dos alas
declaremos a Haití y a Puerto Rico pájaro de cien alas
declaremos a Quiskeya y a Puerto Rico
pájaro de mil alas
que sea nuestra Antilla un ejército de pitirres
que seamos un quetzacoalt
una serpiente alada
que seamos un inriri cahuvayal
un pájaro carpintero que pica madera
hasta destruir al imperio
que seamos un sankofa

ave de pico hacia atrás que mira a las ancestras
recibiremos *flores y balas sobre un mismo corazón*

¡Despierta, borinqueñe
que han dado la señal!
¡Despierta de ese sueño
que es hora de luchar!
A ese llamar patriótico
¿no arde tu corazón?
¡Ven! Nos será simpático
el ruido del cañón.
Nosotres queremos
la libertad,
y nuestros machetes
nos la darán...
Lola Rodríguez de Tió ofrendó su vida
ofrenda la tuya por un mejor país
Lola Rodríguez de Tió abrió posibilidades a mujeres
únete a nuestro feminismo y apóyanos
Lola Rodríguez de Tió gestó un golpe de estado
construye tú posibilidades de una nación libre

¡Riqueñas, no hay que temer!
vámonos ya
que nos espera feminista
que nos espera antirracista
que nos espera libertaria y abolicionista
que nos espera ansiosa
ansiosa la libertad.
¡La libertad, la libertad, la libertad, la libertad!

PUERTORRIQUEÑA

CIENCIAS. — LITERATURA. — ARTES.

OFICINAS:	SAN JUAN DE PUERTO-RICO,	PRECIOS DE SUSCRIPCION.
Calle del Sol, Número 91	25 DE OCTBRE, DE 1892.	Un mes 50 ctvs. Un año 5 pesos.

Lola

Revista *La Ilustración Puertorriqueña*
25 de octubre de 1892

Borinqueñas y borinqueños

Aidalís Rivera Quiñones es oriunda del pueblo de Lares. Actualmente ejerce como maestra de Español y cursa estudios doctorales en el Centro de Estudios Avanzados de Puerto Rico y el Caribe, en el área de Literatura Puertorriqueña. Durante 2 años formó parte del colectivo *Letras y Poesía: Literatura Independiente*, espacio donde publicó algunos de sus poemas. Participó de la antología poética *Palabrea* (2019), dirigida por el profesor Elidio Latorre Lagares y en la antología de cuentos *El humor es cosa seria* (2020) de Ediciones Enserio. Algunos de sus cuentos y poemas han sido publicados en las revistas digitales *Didasko* y *Evento Horizonte*. Finalmente, en el año 2020 salió a la luz su primer libro de cuentos titulado *El rosa debe ser rudo* (Editorial EDP University)

Ana María Fuster Lavín. San Juan, Puerto Rico. Graduada de la Universidad de Puerto Rico, Río Piedras. Escritora, editora, correctora, redactora de textos escolares y prensa cultural. Ha recibido diversos premios en Puerto Rico e internacionales con traducciones al francés, portugués, italiano, inglés. Libros de cuentos: *Verdades caprichosas* (2002), Mención Honorífica-Instituto de Literatura Puertorriqueña; *Réquiem* (2005), 2do Lugar, certamen PEN Club PR; *Leyendas de misterio*; *Bocetos de una ciudad silente*; *Callejón de los gatos*. Poemarios: *El libro de las sombras* (2006), Mención Honorífica-Instituto de Literatura Puertorriqueña; *El cuerpo del delito*; *El Eróscopo: daños colaterales de la poesía*; *Tras la sombra de la Luna*; *Última estación Necrópolis, Al otro lado, el puente*; *Muro Azul Silencio*; *Cicatrices de la memoria*. Novelas: *(In)somnio, y Mariposas negras*. De Microcuentos: *Carnaval de sangre*; *[Cuestión de género]-Carnaval de sangre 2* (2019), Premio Nacional-PEN Internacional de PR, *La marejada de los muertos y otras pandemias* (2020), Premio Nacional-PEN Internacional de PR; *Habitantes del silencio*.

Ángela María Valentín Rodríguez natural de Mayagüez, Puerto Rico. Obtuvo el grado doctoral en Literatura de Puerto Rico y el Caribe del Centro de Estudios Avanzados de Puerto Rico y el Caribe. Publicó los poemarios *Ideas inconclusas* (2010), *Tacas* (2015), *El libro de los silencios* (2018), *Ars Mortis* (2021) y *Las palabras del olvido* (2021), estos dos últimos reconocidos con mención honorífica por International Latino Book Awards 2022. También ha escrito los cuentos infantiles *Las alas del abuelo* (2015) y *Nadie más es como tú* (2019). Es docente en el Departamento de Estudios Hispánicos de la Universidad de Puerto Rico, Recinto de Mayagüez. Ha presentado y publicado sus trabajos académicos y creativos en distintas revistas y antologías literarias de Puerto Rico y el extranjero. Es violinista, vocalista y compositora para varios artistas puertorriqueños.

Antonio Ramírez Córdova nació en 1941 en Bayamón, Puerto Rico. Es poeta, dramaturgo, ensayista, narrador, crítico literario y catedrático universitario jubilado de la Universidad de Puerto Rico. Egresado de la Universidad de Barcelona en 1968. Miembro del PEN Internacional de PR. Tiene alrededor de cartorce libros de poemas, poesía infantil, haiku, cuentos y teatro breve. Sus obras aparecen en antologías de Europa, Asia, Hispanoamérica y Puerto Rico. Entre los premios que ha obtenido se encuentran Ateneo Puertorriqueño (1976), Internacional Editorial Mairena (1984), XI Festival Internacional de Poesía de Puerto Rico: Vicente Rodríguez Nietzsche (2019) Segundo Lugar Certamen de Poesía José Gautier Benítez (2009), Segundo lugar del 25° Certamen Literario de la Universidad Politécnica de Puerto Rico (2020). Segundo Premio del Certamen Nacional de Poesía de Puerto Rico: Hiram Sánchez Barreto (2022) y Primer Premio Internacional de Poesía del PEN Chile (2022) y Premio Nacional de Poesía de Puerto Rico: Hiram Sánchez Barreto (2023).

Astrid Guerra (Mayagüez, Puerto Rico) es poeta y gestora cultural, con 15 años de experiencia en la recaudación de fondos para organizaciones sin fines de lucro. Es autora de los poemarios *Peregrina* (2018), *Cuéntame, Poeta* (2020), *La Bruja* (2021), *Fantasías Concretas* (2021), *AzulVerdoso* (2022), *Diarios de La Bruja* (Pasillo del Sur, 2022) y *Cofradía* (2023). Algunos de estos poemarios están disponibles en formato digital libre de costo en facebook.com/poetaencasa.

Consuelo Mar -Justiniano se desempeña como profesora universitaria, bloguera, colaboradora radial, redactora, editora y gestora cultural. Tiene un doctorado en Filosofía y Letras con especialidad en Literatura de Puerto Rico y el Caribe del Centro de Estudios Avanzados de Puerto Rico y el Caribe. Es autora del libro *Soltera con Compromiso* "Guía para criar sin volverse loca" (2013), del poemario *Inconcluso.S* (2014) y del texto *La metáfora de la mirada en los personajes femeninos de la narrativa de Olga Nolla y Ángeles Mastretta* (2019). Además, fundó (en el 2014) la revista literaria *Le.Tra.S.* de la Universidad Ana G. Méndez, Cupey-Bayamón. Aún funge como editora en su formato digital: https://revistaletrasumet.wordpress.com/

Daniel Torres Rodríguez nació en Caguas, Puerto Rico, en 1961. Es catedrático de Español y Estudios Latinoamericanos en Ohio University. Sus publicaciones incluyen dos novelas, *Morirás si da una primavera* (1993 y 2014), Premio Letras de Oro 1991-1992 de la Universidad de Miami, y *Conversaciones con Aurelia* (2007 y 2017); un libro de cuentos, *Cabronerías: Historias de tres cuerpos* (1995 y 2016); un libro de crónicas, cuento y poesía titulado *Mariconerías: Escritos desde el margen* (2006) y los diez poemarios reunidos en la compilación *En (el) imperio de (los) sentidos: Poesía (in)completa 1981-2011* (2013). Fue Premio Nacional de Poesía del PEN Club de Puerto Rico en 2009 por su poemario *debellaqueras*. Sus poemas han sido incluidos en: *El límite volcado: Antología de la generación de poetas de los ochenta* (2000), *Mariposas: A Modern Anthology of Queer Latino Poetry* (2008) y *Antología del Colectivo Literario Homoerótica* (2012). Tiene en prensa el libro de ensayos *Páramos del amor: escrituras del VIH y sida en la poesía puertorriqueña*.

Dinorah Cortés-Vélez (1971), de Isabela, Puerto Rico, es Catedrática de Español y Estudios Latinoamericanos en Marquette University, Milwaukee, Wisconsin. Se especializa en literatura y cultura colonial latinoamericana y en el Caribe Hispano. Tiene publicados un cuadernillo y un libro de poesía, *Poemas de la soledad en Wisconsin* (Indómita Editores, 2015) y *Suma de los adioses: cementerio poético* (Espejitos de Papel, 2021). Este último recibió el Premio Nacional de Poesía del PEN Club Internacional de Puerto Rico. Sus libros de ficción incluyen: *El arca de la memoria: una biomitografía* (Isla Negra, 2011), *Cuarentona y otras pejigueras menstruales* (Isla Negra, 2013) y *Fugas de duermevela: prosas heridas* (Isla Negra, 2018). Este último recibió una mención honorífica del PEN Club de Puerto Rico Internacional. Su libro de ensayos, *Más allá el mar* acaba de ser publicado con Editorial EDP University. Tiene terminado el manuscrito de un libro sobre Sor Juana Inés de la Cruz.

Doris Irizarry Cruz nació en San Germán. Posee un Bachillerato en Artes de la Universidad Católica de Ponce. Ha publicado cuentos cortos y poemas en antologías producidas por talleres y blogs literarios en y fuera de Puerto Rico, y en la antología *Palabrea*, dirigida por el Dr. Elidio Latorre Lagares. En el año 2018 publicó su primer libro de cuentos cortos, *Ahora puedo decirte que te quiero y otros relatos movedizos*. Su libro más reciente es el poemario *Ritual de vuelo poemas de los cantos puros*, publicado bajo la Editorial Calíope Editoras. Algunos de sus cuentos y poemas han sido premiados en certámenes de la Universidad Politécnica de Puerto Rico, *El Postantillano* y Siglema, e incluidos en el Certamen Nacional de Microcuentos José Luis González. Es amante de las artes, especialmente de la escritura y la pintura.

Edwin Fi (1990) reside en Aguada. Es escritor, ilustrador, docente y artesano. Actualmente se desempeña como docente de Español en el Departamento de Educación. Posee un bachillerato en Estudios Hispánicos. Tiene publicados los poemarios: *Levitaciones, Por la senda de la silenciosa grey, La noche extendida* y *Los blandos abismos de la carne* (2023) que obtuvo el III Premio Internacional de Poesía Joven José Antonio Santano del Ayuntamiento de Baena en España. Además, ha publicado e ilustrado tres libros infantiles *El guardián de Kopek y otras historias terrestres*, *Pregonero de versos* y *Kishiba*. Obtuvo en dos ocasiones el Premio Nacional en el Certamen Literario del PEN de Puerto Rico Internacional por sus primeros dos libros infantiles. También ganó el X Certamen de Poesía José Gautier Benítez 2015, y el I Certamen de Cuentos José Luis González 2015. A nivel internacional obtuvo una mención especial II Concurso Internacional de Microrrelatos "Valle de Cayón" 2015 del Ayuntamiento Santa María de Cayón, el segundo premio Concurso Haikus Bonsái Natura 2015 (Barcelona) y finalista I Certamen Relato Corto "Córdoba Milenaria" de la Universidad de Loyola (2017). Como parte de su docencia ha publicado varios libros y folletos con sus estudiantes para fomentar el gusto por la escritura. En el 2022 fue uno de los 14 docentes premiados a nivel nacional como "Maestro del Año" del sistema público.

Efraín Torres González, nació en San Germán en 1961. Desde temprana edad, mostró interés por las Bellas Artes y la Literatura, en especial, la poesía y el teatro. Cursó estudios en el Departamento de Drama de la UPR, regresa a su ciudad de San Germán donde se desempeña como Gestor Cultural por varias décadas. Es creador del concepto educativo cultural: *Paseando por San Germán*. Pertenece y participa en la *Cátedra de Mujeres Negras Ancestrales de San Germán*. Amante de la poesía, el teatro, la historia y las Bellas Artes de San Germán en general.

Elga Del Valle es profesora de Historia y escritora. Es egresada de la Universidad de Puerto Rico, Recinto de Río Piedras y del Centro de Estudios Avanzados de Puerto Rico y el Caribe. Ha publicado los siguientes libros: *Al otro lado del azul* (poesía), *Brevísima* (microficción y poesía), *Se llamaba Ana* (literatura juvenil) y *Luces y sombras: el discurso feminista en las publicaciones fundadas por Ana Roqué Geigel de Duprey* (historiografía). Ha participado en antologías y revistas literarias en Puerto Rico, España y América Latina. También, ha colaborado en medios electrónicos como columnista y reseñista, entre ellos *Diálogo UPR*, *El Nuevo Día*, *80 Grados* y la *Enciclopedia de Puerto Rico de la Fundación Puertorriqueña de las Humanidades*.

Elsa Tió nace en San Juan en 1951. Recibe en dos ocasiones el Premio Nacional de poesía. Empieza a escribir antes de saber escribir. A sus siete años aparece su libro de niña en una edición cerrada destinada a amigos y familiares, versos que como dijo Juan Ramón Jiménez, «él podría haber firmado». Recibe premios de literatura por sus libros, *Detrás de los espejos empanados* e *Inventario de la soledad*. También tiene publicado los poemarios *Palabras sin escolta* y *Desnuda de palabras*. En 2014 Ediciones SM reeditó su primer libro de poesía infantil bajo el título *La rosa va caminando*. Ha brindado talleres de poesía a niños en las escuelas públicas de su país y en otros espacios. Ha defendido la cultura y la lengua, por entender que es la máxima señal de identidad de un pueblo. Se ha dedicado a espantar el olvido publicando la obra póstuma de su padre, el escritor, humorista y poeta Salvador Tió. Cree fervientemente que la poesía es el milagro del lenguaje.

Elidio La Torre Lagares es poeta, ensayista y narrador. Autor de *Textoci(u)dad: la erosión de la modernidad en **En Babia**, la novela de J.I. de Diego Padró* (Centro Investigaciones Iberoamericanas 2016), *Wonderful Wasteland and other natural disasters* (University Press of Kentucky 2019) y *Correr tras el viento* (Verbum 2022). Finalista del Premio Juan Felipe Herrera 2020. En el 2022 fue finalista del Premio Octavio Paz de Poesía de la Feria del Libro de Miami.

Fannie Ramos es escritora, editora y educadora egresada de la Universidad Interamericana de San Germán. Obtuvo el primer lugar en el certamen de cuento de *El Nuevo Día* en el 2014 y primer lugar en el Certamen Nacional de Microcuentos Isabel Freire de Matos en 2016. Ha ofrecido talleres de escritura creativa desde el 2015 y es integrante del colectivo literario *En los bordes*, fundado en el pueblo de San Germán, el cual dirige actualmente. En el 2019, publicó su primer libro de cuentos *El abrazo póstumo*.

También ha participado como autora y editora en las antologías *Cuentos para no perder la cordura* (2014), *Contrastes* (2016), *En pocas palabras* (2017) y *Brevedades* (2023) y ha publicado cuentos y poemas en diversas revistas literarias puertorriqueñas. Su segundo libro *Micros y Conjuros* se encuentra en proceso de publicación.

Frances Ruiz Deliz nació en Arecibo. Es ingeniera y escritora. Posee un bachillerato en Ingeniería Química de la Universidad de Puerto Rico, Recinto de Mayagüez. Es autora de *La esquina panorámica* (EDP University, 2022), *Elucubraciones a trastiempo* (2021), por el cual obtuvo el premio José Gautier Benítez, y *Pixelados* (2020). Actualmente cursa una Maestría en Escritura Creativa en la Universidad del Sagrado Corazón.

Ingrid Rodríguez Ramos es artista plástica, poeta y profesora nacida en Mayagüez en 1968. Obtuvo su bachillerato en Artes en el Departamento de Ciencias Sociales de la Universidad de Puerto Rico, Recinto Universitario de Mayagüez, y su maestría y doctorado en el Centro Caribeño de Estudios Post Graduados hoy Universidad Carlos Albizu. En 1999 presentó su primera exposición individual titulada "Dos culturas, un mismo Dios". En 2014 se unió al colectivo literario *En los bordes* y a *Las musas descalzas*. Ha participado en diversas exposiciones de pintura colectivas y también es escritora antologada en los libros *En pocas palabras*, *Cuentos para no perder la cordura* y *Brevedades* del colectivo *En los bordes*. En 2022 publicó su primer libro de poesía *A lo importante*. Actualmente se desempeña como catedrática auxiliar del Departamento de Ciencias Sociales del Recinto de Mayagüez de la Universidad de Puerto Rico, donde colabora con el Instituto Universitario para el Desarrollo de las Comunidades y el programa SIEMPREVIVAS.

Iris Miranda nace en el 1961 en Santurce, Puerto Rico. A temprana edad descubre su pasión por la literatura en la casa de sus abuelos maternos. Es escritora de poesía, cuento, ensayo y crítica literaria. Cursó estudios universitarios de bachillerato y maestría en Estudios Hispánicos en la Universidad de Puerto Rico. Ha formado parte del quehacer cultural literario como gestora, crítica literaria, periodista cultural y representante de Puerto Rico en festivales internacionales. Es autora de *Noches de luna: embelesos y melismas (2007)*, *Alcoba Roja* (2011), *Óptica del desierto y Flash Creatio* (2013), *Flor de luna: Moonflower* (2014), *Velos de la memoria (2019)*, *Tacitas de café* (2020) y una novela gráfica inspirada en su relato, *Momias espaciales* (2023). Actualmente, es profesora de lengua y literatura en la Universidad Politécnica de Puerto Rico. Escribe o recita en diversas plataformas virtuales liricanocturna.wordpress.com, Facebook.com y con el nombre De poesía con Iris Miranda en Instagram. Es miembro del colectivo poético Grupo Guajana.

Irma Antonia Maldonado Villalobos nació en Manatí, Puerto Rico. Posee un bachillerato en educación secundaria, especialización en Biología, de la Universidad de Puerto Rico. Es autora de los poemarios: *Incontenible* (1988), *Fuga de sombras* (1991), *Ciénagas y rosales* (2010), *Verso jíbaro* (2011), *Cantares de los caminos* (2014), *Para no emprender el vuelo* (2017), y de la novela *No todo ha de morir* (2022).

Jacqueline Girón Alvarado nació santurcina; se crió ponceña; y envejece mayagüezana. Cursó estudios de Bachillerato y Maestría en el RUM, Universidad de Puerto Rico. En 1993, recibió el grado doctoral de Pennsylvania State University. Se ha desempeñado como maestra de español en todos los niveles educativos de su país: elementales, superiores y universitarios. Es una lectora voraz y estudiosa de la literatura, especialmente la hispanoamericana. Tiene publicados artículos de crítica literaria, ensayos y poemas en revistas especializadas y antologías; así como dos libros: *Galería de sueños* (cuentos y poemas, 1989) y *Voz poética y máscaras femeninas en la obra de Delmira Agustini* (1995). Ha trabajado como instructora, profesora y supervisora de español en la Universidad Interamericana en San Germán y Ponce; en Penn State University; y en Lousiana State University. Actualmente enseña Literatura Hispanoamericana en el Recinto de Mayagüez, UPR (de 1996 en adelante).

Kristine Drowne nació en San Juan en 1994. Cursó un bachillerato en artes con concentración en Información y Periodismo de la Universidad de Puerto Rico. En el 2020 completó un Juris Doctor de la Escuela de Derecho de la Universidad de Puerto Rico. Cuenta con un máster en Medios, Comunicación y Cultura en la Universidad Autónoma de Barcelona (2021). Actualmente es doctoranda del programa de Literatura Hispanoamericana de la Universidad Complutense de Madrid. En 2021 EDP University publicó el poemario *Salada*, su primer libro. Sus ámbitos de investigación son: el derecho, la cultura, las políticas culturales y las imbricaciones entre la literatura y el periodismo. Ha publicado trabajos en *El Nuevo Día*, *Claridad*, *El Post Antillano*. *Revista Cruce* y *Revista de Estudios Críticos del Derecho de la Universidad Interamericana*. Actualmente, se desempeña como profesora universitaria.

Lala González Rodríguez es escritora, maestra, tallerista, gestora cultural, activista y performera nacida el 2 de abril de 1968 en la ciudad de Mayagüez. Fue secretaria del PEN Club de Puerto Rico. Fundadora de la colectiva femenina *Las Musas Descalzas*. Sus poemas han sido publicados en varias antologías nacionales como internacionales. Sus libros son: *Dos caras de dos cuerpos*, *Que te cuente negrito*, *Cuando Catalina se fugó*, *Las negras de casa*. Es columnista del periódico español *Irreverentes*. Su poemario *Mi cuerpo grita tu nombre* es un canto al amor disidente, un documento literario en defensa a todos los amores desde otra perspectiva. Su más reciente libro híbrido es *Bajo la sombra de mi Ilán Ilán* una recopilación de escritos reflexivos donde la escritora sana su alma cansada. *Me dueles, Patria* es su próximo poemario para publicar, ya está en la plataforma de Kindle como libro electrónico.

Lara Denise Ortiz Sánchez vio la luz por vez primera en San Germán y la sigue viendo todos los días desde el 2001. Cursa su último año de bachillerato en Educación Secundaria en Español con un menor en Estudios Sociales y su inquebrantable amor por la poesía nació cuando tenía nueve años y le pidió prestado un poemario de Julia de Burgos a su padre. (El poemario aún espera ser devuelto). Ha sido ganadora de varios certámenes literarios en las categorías de cuento, ensayo y poesía, entre ellos el primer lugar del certamen de poesía dedicado a Celestina Cordero Molina en el 2022. Actualmente, es maestra-practicante y espera poder cambiar el mundo en las aulas, o al menos, cambiar el mundo de sus estudiantes, un poema a la vez, para mantener a Puerto Rico y a la humanidad vivos.

Leticia Ruiz Rosado nace en Mayagüez, Puerto Rico y es Catedrática de la Universidad de Puerto Rico, Recinto de Aguadilla. Ha publicado los poemarios *Pieza extraña, rara y difusa* (2005) *Cántico a Babel Bárbara* (2006) *Paloma verdadera* (2006) y *Hoy lanzo el látigo* (2009) *Te vi Luna* (2007) y *Paleta de colores* (2022). Es editora de la revista *Identidad* hace quince años. Junto al Colectivo Identidad editó y publicó con los poetas de Mar del Plata la antología *Poesía en el tiempo, homenaje a la literatura latinoamericana* (2005). Su poesía y ensayos de crítica literaria se han publicado en revistas nacionales e internacionales. Ha dictado conferencias de crítica literaria en Casa las Américas en Cuba, en Huelva, en Jaén y en la Universidad de Vigo en España; en Mar del Plata Argentina, en la Feria del Libro en Guadalajara México y en diversas universidades de Puerto Rico.

Ligia A. Arce Rivera es sangermeña. Desde pequeña amó la literatura y las bellas artes inspirada por su abuelo y escritor Felix Arce Lugo. Graduada de la Universidad de Puerto Rico, Recito de Mayagüez, (Ciencias Sociales, Psicología e Historia), culminó su preparación en Consejería en la Universidad Interamericana. Durante su carrera profesional se destacó en el apoyo a estudiantes universitarios, adultos y en la creación de programas innovadores para alcanzar sus metas de vida y carrera. Actualmente continúa ofreciendo talleres a la comunidad como consultora en temas enfocados en la calidad de vida y desarrollo humano. Publicó dos libros dedicados al logro de metas estudiantiles y profesionales: *Guía para la búsqueda de empleo* y *Cómo tener éxito en los exámenes*. Publicó su libro *Vivencias*, poemario, ensayos y recuerdos, en el cual se destaca su gran sensibilidad y conocimiento del ser humano y sus experiencias. Es miembro de la Unión Hispanoamericana de Escritores, del grupo poético Theopuesia y Alas de la poesía. Continúa escribiendo poemas y cuentos.

Lizamar Rivera Santiago nació en 1974. Se graduó del Departamento de Estudios Hispánicos de la Universidad de Puerto Rico, Recinto de Mayagüez. Amante de la literatura, la pedagogía, las artes y la cultura, actualmente ejerce como maestra de Español en la Escuela Lola Rodríguez de Tió, y junto a su esposo, el Prof. Kelvin Acosta Vélez, es co-dueña de la Orquesta Happy Hills de San Germán. Ha participado activamente del teatro y el cine puertorriqueño local, así como en iniciativas culturales en beneficio de las nuevas generaciones.

Lucía Margarita Cruz Rivera es una poeta puertorriqueña del pueblo de Salinas; profesora de Español en la Universidad Interamericana de Puerto Rico, Recinto de Guayama, prologuista y estudiante doctoral de Literatura de Puerto Rico y el Caribe. Ha publicado en diversas antologías y revistas académicas en Puerto Rico y en el exterior. Obtuvo el *Premio Luz a la Excelencia Literaria 2019* por su desempeño en el IV Festival Internacional Hermanados por las Letras en Cartagena de Indias, Colombia y en el 2020 recibió una Mención de Honor en el Certamen Literario del PEN de Puerto Rico Internacional por su primer libro *Los que mecieron mi cuna*. En ese mismo año ganó el primer premio del Certamen de Microliteratura de *El Post Antillano*; y publicó su segundo libro *Carta virtual a los Reyes Magos*. En el año 2022 publicó su tercer libro titulado *Marbella* y una segunda edición, esta vez comentada, de *Los que mecieron mi cuna*. También, es presidenta de la Junta Editora de la revista *Sapiencia*, de la Universidad Interamericana, Recinto de Guayama, presidenta del Trigésimo Tercer Senado Académico y Directora Interina del Departamento de Educación, Ciencias Sociales y Estudios Humanísticos de dicha institución.

Mairym Cruz-Bernal es poeta, educadora, editora, traductora, columnista y ensayista puertorriqueña (1963). Presidió el PEN-Puerto Rico (2008-2012). Presidió el V Encuentro Internacional de Escritoras en Puerto Rico en el 2003 donde más de 300 escritoras firmaron un manifiesto por la paz. Posee una maestría en Escritura Creativa de Vermont College, Norwich University (1994). Sus poemas han sido traducidos al macedonio, árabe, croata, eslovenio, italiano, portugués, inglés, alemán, francés, polaco y mandarín. Es miembro honorario del Círculo de Escritores de Venezuela. Sostiene alianzas de amistad con la Unión de Escritores y Artistas de Cuba (UNEAC), la Sociedad de Escritores de Chile (SECH) y es Integrante del Movimiento Poetas del Caribe: Unidos por la paz (Barranquilla, Colombia). Es presidenta Internacional de los Encuentros Internacionales de Escritoras (EIDE), movimiento itinerante. Tiene 22 libros publicados en diversas partes del mundo.

Marilourdes Acevedo Román nació en Mayagüez, Puerto Rico. Posee un bachillerato y maestría en Estudios Hispánicos de la Universidad de Puerto Rico, Recinto de Mayagüez. Completó su grado doctoral en Literatura Puertorriqueña y del Caribe en el Centro de Estudios Avanzados de Puerto Rico y el Caribe en San Juan, Puerto Rico. Actualmente se desempeña como Catedrática Auxiliar en EDP University, Recinto de San Sebastián y como colaboradora de la Editorial EDP University. Sus temas de investigación son: literatura puertorriqueña y del Caribe, poesía puertorriqueña, raza y género.

Mildred de Santiago Serrano nació en Mayagüez, Puerto Rico. Es socióloga, docente y se ha desempeñado en la administración universitaria en Puerto Rico y Estados Unidos. Obtuvo un Bachillerato en Ciencias Sociales en la Universidad de Puerto Rico, Recinto de Mayagüez y una Maestría en Ciencias en Educación y Sociología en la Universidad del Estado de Nueva York. Es gestora cultural y miembro del colectivo literario *El Sur visita el Sur* y del *Capítulo Francisco Matos Paoli de Puerto Rico*, del Ateneo Insular Internacional, en cuyas antologías se ha publicado su poesía interiorista. Su obra poética se ha publicado en las antologías del colectivo literario *El Sur visita El Sur* y en compendios del *Festival Grito de Mujer de Puerto Rico*. En 2015, publicó su primer poemario, *Canto Claro* y en el 2021 publicó *Las resonancias del silencio*.

Miriam Damaris Mardivino (Maldonado) es una galardonada poeta y activa promotora de eventos culturales en Houston y fundadora/miembro del Colectivo Colibrí. Además de escribir y recitar su poesía en festivales literarios, también es ensayista, narradora, bailarina y activista. Además, sirve a la comunidad como Trabajadora Social y como miembro del Colectivo de Grupos Puertorriqueños de Houston. Es la Gerente del Proyecto de Literatura Puertorriqueña y acaba de recibir el reconocimiento Bipoc Artist Award en la ciudad de Houston. Su libro *Enraizada* ha sido publicado en España y distribuido en Estados Unidos, Latinoamérica y Puerto Rico, además su versión en Inglés ha sido publicado este año en Estados Unidos.

Pedro Juan Ávila Justiniano es poeta, dramaturgo, narrador, promotor cultural, maestro de teatro y profesor universitario de Lengua y Literatura. Nació en Manatí, en 1941. Ha leído su poesía en innumerables recitales y encuentros de poetas en y fuera de su país natal, como en el prestigioso Festival de Poesía de Granada en Nicaragua. Asimismo, ha representado sus obras teatrales en múltiples escenarios y publicado los siguientes poemarios: *La noche desvelada (Mención de Honor del Instituto del Literatura Puertorriqueña) Acordes afanosos, La insolente desnudez de la noche (Mención Honorífica del PEN Club en el 2019) y Postludio a la ausencia*.

Roque Raquel Salas Rivera (Mayagüez, 1985) es un poeta, editor y traductor. Sus reconocimientos incluyen el nombramiento como Poeta Laureado de la ciudad de Filadelfia, el Premio Nuevas Voces y el inaugural Premio Ambroggio. Cuenta con seis poemarios. Es el editor de las antologías *Puerto Rico en mi corazón* (Anomalous Press, 2019) y *La piel del arrecife: Antología* *de poesía trans puertorriqueña* (La Impresora & Atarraya Cartonera, 2023). Entre sus traducciones, cuenta con *The Rust of History* (Circumference Press, 2022), una selección de la obra poética de su abuelo Sotero Rivera Avilés, y *The Book of Conjurations* de la poeta Irizelma Robles. Al presente escribe un poema épico trans titulado *Algarabía*, que será publicado en el 2025 por Graywolf Press.

Rubis Camacho nace en Bayamón, Puerto Rico. Fue estudiante de la escuela pública de su país, hasta culminar su Bachillerato en Artes con concentración en Bienestar Social en la Universidad de Puerto Rico, Recinto de Río Piedras. Posee una Maestría en Teología en el Seminario Evangélico de Puerto Rico y una Maestría en Creación Literaria en la Universidad del Sagrado Corazón, donde recibió la Medalla Pórtico como premio a la excelencia académica. Ha publicado los libros *Sara: La historia cierta* (novela, 2012), *El fraile confabulado* (cuentos, 2012), *Safo: Ritual de la tristeza* (poesía, 2015), *Tu rostro en la memoria* (novela, 2018), *Curriculum Vitae* (poesía, 2019), *Agapimú* (poesía, 2021), *Cuando mira la Medusa* (poesía, 2021), *Los 100 cantos de Safo* (poesía, 2022) y *Alejo es mi nombre de amor* (poesía, 2022). Figuran entre sus reconocimientos recientes el primer premio del Certamen de Cuento de la revista *Atramentun* con la pieza "La elección", en el 2020 gana el primer premio en el 25 Certamen Literario de la Universidad Politécnica de Puerto Rico en la categoría cuento y el primer premio en el Certamen de Micro Novela del periódico digital *El Postantillano* con la micro novela *Sea Hunt*.

Solimar Ortiz Jusino es una orocoveña nacida en el 1983. Escritora, poeta, ensayista, cuentista, editora y diagramadora de la editorial POEMA y activista política. Egresada de la Universidad de Puerto Rico, Recinto de Río Piedras donde obtuvo un bachiller en Trabajo Social. En el 2013 publicó *Palabras de conciencia en la voz de El Maestro*, ensayo holístico donde se analizan los discursos pronunciados por Pedro Albizu Campos a la luz de la realidad puertorriqueña del siglo XXI. Además, publicó sus poemarios *Rebeldías de encantos (2014)* y *La Matria en mis pies (2022)*. Ha participado en diversas antologías poéticas como *Flor Silvestre*

Grito de Mujer (2016), Oscar hecho de poesía (2016), Di lo que quieras decir (2016), Antología para el cambio social (2017), Ana Belén; un poema entre dos alas (2018), Las huellas de un patriota (2022), Puerto Rico honra a Fidel (2017) entre muchas otras. Ha representado a Puerto Rico en varios países como República Dominicana, Cuba, Estados Unidos, entre otros. Actualmente forma parte de Poetas en Marcha y del Comité de Solidaridad con Cuba en Puerto Rico.

Susie Medina Jirau ha ganado diversos certámenes literarios en Puerto Rico en los géneros de poesía, ensayo y teatro breve, en diferentes Instituciones Educativas y certámenes, entre estos; Certamen Microcuentos José Luis González (CEDEI). Sus poemas obran en diversas antologías del Festival Internacional Grito de Mujer y en la revista *Inopia*. Además, en antologías en Argentina y México, entre otras. Recientemente publicó en la revista literaria *La manzana mordida*, y en *Bambú* Pliego Peruano de Haiku, ambos en Lima, Perú. Tiene inéditos los poemarios *El dolor de la lluvia, Desnuda lumbre (haiku), El tremolar de las gotas*, y *Huellas y otras memorias*. Actualmente trabaja en un poemario de poesía minimalista. Tiene publicados los poemarios *Orfandad de la llama* y *Brumedad*. Es colaboradora del Festival Internacional de Poesía de Puerto Rico y miembro del Colectivo Voces Cibunienses.

Yolanda Arroyo Pizarro nació en octubre de 1970 en Guaynabo, Puerto Rico, y se crio en el barrio Amelia y en la costa de Cataño. Actualmente vive en Carolina. Es investigadora, narradora, poeta y profesora. Es Catedrática Auxiliar y Escritora Residente de EDP University. En 2007 fue seleccionada por el Hay Festival como parte del grupo inaugural Bogotá39. Fue premiada por el Instituto de Cultura Puertorriqueña (ICP) en 2015 y 2012, y el Premio Nacional del Instituto de Literatura Puertorriqueña en 2008 y 2021. Es fundadora y directora de la Cátedra de Mujeres Negras Ancestrales. En 2021 recibió el PEN de Puerto Rico National Short Story Award y el Instituto de Literatura Puertorriqueña National Creative Award por *Calle de la*

Resistencia. También recibió el galardón mayor por el PEN International por el poemario *Afrofeministamente.* Ha ganado la Beca Letras Boricuas Fellow 2022 de Fundación Mellon y Fundación Flamboyán. En 2022 se convirtió en escritora independiente para el proyecto *¡Listos a jugar!* Storybook, de Plaza Sésamo. Ha ganado el Fellowship Words Without Borders en 2023. Dirige las campañas educativas #PeloBueno #SalasdeLecturaAntirracista y #EnnegreceTuProntuario.

Rosario Méndez Panedas está licenciada en Filología Hispánica de la Universidad Complutense de Madrid y es doctora en literatura hispanoamericana de la Universidad de Syracuse en el estado de Nueva York. Posee diversas publicaciones de artículos de crítica literaria en revistas académicas de Europa, Estados Unidos y Puerto Rico. En la actualidad es catedrática del Departamento de Lenguas y Literaturas en la Universidad Interamericana de Puerto Rico, Recinto de San Germán, ciudad donde reside.

Su línea de investigación está centrada en la presencia y visibilidad de la mujer en las diferentes manifestaciones culturales. Ha presentado ponencias de sus investigaciones en distintas partes del mundo como la Universidad de la Soborna en París, la Universidad de la Sapienza en Roma, el Instituto de Historia del CSIC en Madrid, Casa de las Américas en Cuba, La Universidad de Purdue en EEUU y en distintas instituciones en Puerto Rico.

Desde el 2016, pertenece al grupo de creación literaria Cátedra de Mujeres Negras Ancestrales a través del cual ha publicado seis libros de cuentos: *Maestra Celestina, Pura Belpré: una vida dedicada a los libros, Se llama Juana Colón, El secreto de Matilde, La libertad de Justa* y *Cecilia Orta Allende: creadora de sueños. Maestra Celestina* recibió el premio de Mención Honorífica en la categoría cuento infantil en el certamen del Pen Internacional de Puerto Rico 2018. Ha publicado los libros *Historias de mujeres puertorriqueñas negras* (2020) *Invisibilizadas e Innombradas: cuentos de mujeres puertorriqueñas negras* (2021) el cuento juvenil *Avelina, un nombre con historia* (2022) y el relato infantil *La niña que no quería ser perro* (2023).

Made in the USA
Las Vegas, NV
22 April 2024

88998428R00090